premiers bains de mer

© Éditions du Chasse-Marée
Abri du Marin
29177 Douarnenez
www.chasse-maree.com

premiers bains de mer

chasse-marée

Biographie

Françoise Foucher a grandi dans le Morbihan et vit aujourd'hui dans le Finistère. C'est une fille du bord de mer. En dehors de son travail de journaliste pour la presse agricole, elle explore les sentiers côtiers pour dénicher de nouveaux itinéraires de balades (collection Balades en famille, éditions Didier Richard). C'est une fervente adepte des bains de mer, été comme hiver, avec ou sans sa planche à voile, et le plus souvent possible en institut de thalassothérapie !

Sommaire

Baigneurs, curistes et nageurs

À l'eau !

Au bord de l'eau

Vers la thalassothérapie

Les bains de mer sont nés en Angleterre. Après l'époque romaine, les bienfaits de la mer ont été oubliés. Pendant des siècles, l'eau n'a valut que thermale. Douce et civilisée. La furie des flots de la mer du Nord, de la Manche et de l'Atlantique est source d'appréhension et de répulsion. Mais à partir du XVIe siècle, la mélancolie est pourchassée à coup d'embruns impétueux et de vagues revigorantes, notamment à Scarborough, dans le Nord-Est de l'Angleterre. Au XVIIe siècle, la rage est soignée par immersion dans l'eau salée, forcément froide et tumultueuse. Deux siècles plus tard, avec l'invention des établissements de bains, qui permettent de chauffer l'eau et de la proposer en baignoire individuelle aux délicat(e)s curistes, l'eau thérapeutique se transforme en eau de loisir. La station balnéaire prend son envol. Casino, promenade, cabines de bains et jeux de plage vont s'associer dans un unique but : divertir le baigneur, lui donner du plaisir et petit à petit le conduire à prendre soin de son corps. La plage moderne est née.

Baigneurs, curistes et nageurs

La plage pour tous

Vanté pour ses mérites thérapeutiques, le bord de mer est aux XVIIIe et XIXe siècles essentiellement fréquenté par les Grands de ce monde. Les premières stations balnéaires doivent leur renommée aux célébrités qui viennent y prendre les eaux : le prince de Galles à Brighton, la duchesse de Berry, Marie-Caroline de Bourbon-Sicile et l'empereur Napoléon III à Dieppe, Louis-Philippe au Tréport, etc. Dans leur sillage, ils entraînent aristocrates et artistes. À l'époque, ils sont les seuls à avoir les moyens et le temps de s'offrir un tel déplacement : relier Paris aux plages du Nord prend une vingtaine d'heures, c'est donc pour la saison entière qu'on s'installe au bord de l'eau ! En 1847, une première ligne de chemin de fer met le Havre à quelques heures de Paris. La petite bourgeoisie peut s'offrir un court séjour sur les plages normandes. Le bain finit de se démocratiser avec l'avènement des congés payés en 1936. Les « trains de plaisir » rendent la plage accessible au plus grand nombre.

Page précédente : les Anglais ont goûté les premiers aux plaisirs des bains de mer, dès le milieu du XVIIIe siècle.

C'est en robes et costumes, que la bourgeoisie profite du bord de mer, ici à La Rochelle, jusqu'au « début » du XXe siècle.

14   Les pieds dans l'eau, les fesses sur un rocher : la meilleure manière de ne pas
mettre de sable sur son goûter ! Pendant que les gouvernantes surveillent les
enfants, les parents profitent de la vie mondaine offerte par la cité balnéaire.

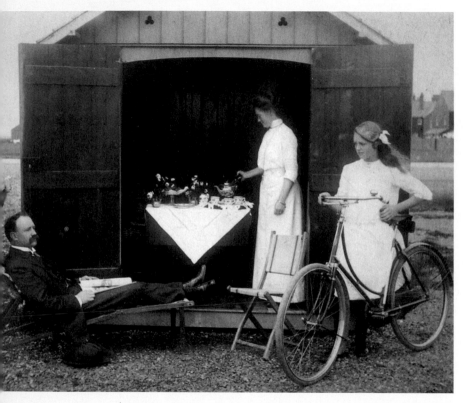

À la fin du XIXe siècle, la plage est réservée à la bonne société ; au XXe siècle, elle sera progressivement investie par la classe ouvrière.

Au début du XXe siècle, les vacances scolaires, traditionnellement fixées à la période des moissons, migrent vers le cœur de l'été. Les riches petits citadins goûtent aux joies du bord de mer.

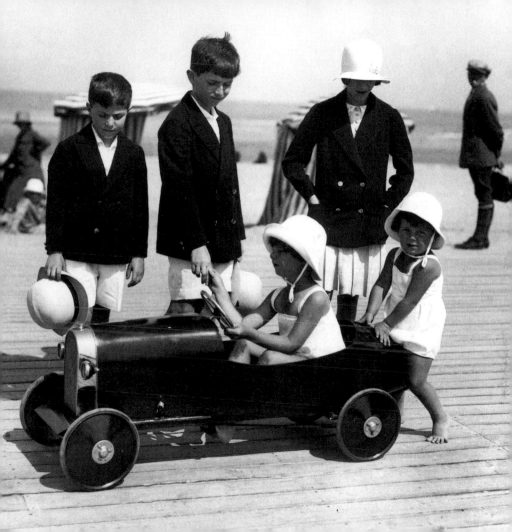

La mer comme argument de vente :
ici pour vanter le chocolat Baron ou
la Compagnie des chemins de fer de l'Ouest.

Cachez ce sein

Si des fresques romaines ont révélé que les Italiennes avaient déjà inventé le bikini au IVe siècle de notre ère, les autres baigneurs européens ont mis deux siècles à dénuder leur corps. Au XVIIIe siècle, le costume de la baigneuse ne compte pas moins de six pièces, depuis le fichu sur la tête à la brassière, en passant par le pantalon et les chaussures ! Les hommes, eux, adopteront rapidement le maillot une pièce, héritage du costume porté par les étudiants de Cambridge pour se jeter dans la rivière. Les plages sont parfois arpentées par des contrôleurs, chargés de mettre des amendes aux baigneurs dont les corps ne sont pas dignement couverts, et de faire respecter la non-mixité des zones de bains ! Au début du XXe siècle, une nageuse olympique abandonne les froufrous pour un maillot une pièce, vite adopté par la gent féminine. Le maillot deux pièces sera présenté pour la première fois en 1946 ; il prendra le nom de Bikini, en référence à la bombe atomique qui vient d'exploser dans un atoll du Pacifique du même nom.

Pas question de s'ébattre dans l'eau dans une tenue indécente : si le costume de bain s'allège, il n'a pas encore perdu ses jambes et ne dénude toujours pas les épaules.

Double page suivante : à rayures ou uni, le maillot de bain masculin suit sa propre mode...

Même tricoté main, le maillot en laine reste inconfortable.
Quant aux chapeaux de plage, à Deauville en 1929,
ils font partie de l'uniforme !

Pages suivantes : En 1907, la nageuse olympique
Annette Kellerman inaugure le maillot une pièce.
Enfin, les baigneuses vont pouvoir nager librement.

Sous le soleil exactement

Au XVIIIe siècle, l'aristocratie fréquente les stations balnéaires à l'époque des bains de mer, c'est-à-dire en plein hiver, quand la mer est jugée revigorante ! Dans les frimas de décembre, la question d'exposer son corps au soleil ne se pose même pas. Le teint de porcelaine est de mise. Les belles se protègent du moindre rayon derrière leurs ombrelles. Petit à petit, la saison des bains s'allonge et les plages sont encore fréquentées au printemps : les rivages se couvrent alors de tentes et de cabanes en osier, où les femmes s'abritent du soleil et du vent. Il faut attendre les années 1920 pour que les stations du sud de la France accueillent des touristes en été. Jusqu'alors, la chaleur est considérée comme responsable de langueur et de pourrissement ! Dans l'entre-deux-guerres, les corps se dévoilent ; Coco Chanel met le bronzage à la mode, et L'Oréal invente l'Ambre solaire. « Soyez insolée et non rissolée », vante alors la publicité du petit flacon cranté !

36   Sur la plage de Berck, à la fin du XIXe siècle, hormis les mollets et les bras
des baigneurs, pas un centimètres carré de peau en vue...
La pâleur de la peau est alors l'apanage des classes privilégiées.

En 1946, aucun mannequin n'accepte de défiler pour présenter le nouveau maillot de bain imaginé par le couturier français Louis Réard. C'est une danseuse qui osera dévoiler ses formes dans le premier Bikini.

Offrir son corps au soleil et cultiver son bronzage.

Concours de parasols
en 1938 à Saint-Raphaël.

En 1927, le parfumeur Jean Patou lance l'huile de Chaldée
à Deauville. L'Oréal inaugure son Ambre solaire en 1935.
Les rayons du soleil sont désormais bienfaisants.

43

À l'eau !

L'art du bain

La première façon de prendre les eaux est assez radicale : il s'agit d'exposer son corps au ressac. C'est le bain à la lame. De virils baigneurs sont chargés d'exposer les fragiles créatures cachectiques aux vagues déferlantes et de les ressortir prestement après le premier frisson. Le bain dure une dizaine de minutes, temps jugé suffisant pour resserrer les pores et activer la circulation sanguine... et accessoirement donner l'illusion de la noyade au curiste, ce qui lui fait une petite dose d'émotion en sus ! À la fin du XIXe siècle, le docteur Louis Bagot institue à Roscoff, où il ouvre ce qui est considéré comme le premier institut de thalassothérapie, le « bagotage » : cette promenade les pieds dans l'eau est une manière beaucoup moins dangereuse de profiter des bienfaits de la mer. En s'allégeant, les costumes libèrent les mouvements des baigneurs intrépides, et rendent possible la pratique de la « flottaison », qui deviendra natation.

Dans son *Guide médical et hygiénique du baigneur*, le docteur Lecœur avait préconisé en 1846 d'« entrer bravement dans l'eau tout d'un coup, pour que la pression du liquide soit égale sur toutes les parties du corps ».

Quelques audacieuses
s'initient à la « flottaison »...
sans toutefois risquer
la noyade. Pour d'autres,
il est plus raisonnable
de s'en tenir au « bagotage »
qui consiste à marcher pieds
nus au bord de l'eau.

Deauville, 1937. Malgré les congés payés, les familles sont encore peu
nombreuses dans l'entre-deux-guerres à profiter du bord de mer. C'est plus
probablement les colonies de vacances qui étaient l'occasion de tels ébats.

Pas question d'ôter sa coiffe pour aller faire trempette, foi de bigoudène !
S'exposer cuisses nues, peut-être, tête nue : jamais !

pour éviter aux maillots de bain en laine, alourdis par un séjour dans la mer, de finir sur les mollets des petits baigneurs, on les agrémentait de bretelles.

Le bain
en toute intimité

Au début du XIXe siècle, pour profiter de la mer sans offenser les bonnes mœurs, les curistes utilisent des chariots de bains. Ces petites cabines à roulettes, tirées dans l'eau par des chevaux, permettent au baigneur d'y rentrer en toute discrétion. Une publicité havraise explique que ces cabines offrent aux dames « toutes sortes de commodités, rafraîchissement, toilettes, etc. ». Dans le même temps, les stations balnéaires se dotent d'établissements de bains. Les baigneurs s'y immergent dans des baignoires pleines d'eau de mer, parfois chauffée, et occasionnellement additionnée de varech. Les principes de la thalassothérapie sont posés, le bain thérapeutique se prendra dorénavant en baignoire individuelle, dans le confort et l'intimité d'établissements spécialement conçus à cet effet.

La plage de Boulogne envahie par les roulottes de bains.

Les sels de bain sont d'abord pharmaceutiques. Ils ne tarderont pas à passer dans le giron de la cosmétique.

Double page suivante : la plage de Deauville, été 1936.

Plaisirs salés

Amusement et fierté des pêcheurs locaux, les régates de voiliers de travail assurent le spectacle aux abords de certains ports. Bientôt, des yachts élégants se mêlent à la flottille des voiles tannées : les fortunés amateurs de bains de mer ont tôt fait de s'initier à la « belle plaisance ». Pour organiser les compétitions, des sociétés de régates fleurissent sur les côtes françaises, au Havre en 1838 et à Royan en 1851 pour les deux plus anciennes. D'autres se contentent modestement de promenades dans quelque embarcation à voile ou à moteur affrétée pour l'occasion... pas toujours de bons moments pour ceux qui n'ont pas le pied marin ! Les plus audacieux tentent le vélocipède nautique ou le podoscaphe et s'affrontent dans de spectaculaires concours de plongeons, tandis que les enfants s'initient à la navigation dans des caisses à savon ou lors de régates de modèles réduits. Le bord de mer est aussi l'occasion de goûter aux joies de la pêche : la grève est alors le terrain de confrontation entre deux mondes que tout oppose, les premiers touristes et les (avant)-derniers pêcheurs.

La coque d'un bateau au mouillage devenue plongeoir.
Une coque de noix pour s'initier au maniement des avirons.

Pâtés de sable ou partie de pêche à la crevette ?

Double page suivante : les inventeurs géniaux ne manquent pas d'imagination : à rames, à pédales puis à moteur, leurs embarcations sont plus délirantes les unes que les autres.

76 Jouer à se faire tomber, ou tenter de rester au sec quand la ligne de flottaison
disparaît sous la surface de l'eau...

Plongée pour une course devant l'Abri du Marin de Lanriec, face à Concarneau.

Pêche en mer, pêche à la ligne... chacun sa technique, chacun son style.

Au bord de l'eau

Plages-sur-Mer &
Bains-les-Flots

Incontournable, le Casino est l'un des premiers édifices à ouvrir ses portes dans toute station balnéaire qui se respecte. Il est généralement situé dans le même bâtiment que l'établissement de bains. Les hommes y jouent et y fument, entre deux bains, les femmes y brodent, tout le monde y mange et y danse le soir venu. Édifices temporaires à l'origine, démontés à la fin de chaque saison, les casinos deviennent bien vite de somptueuses bâtisses. Tout comme les villas qui les entourent, autres éléments indissociables de la cité balnéaire. Elles se démarquent par leur architecture audacieuse, voire loufoque : manoirs gothiques et pavillons mauresques fleurissent sur les côtes basques et normandes ! La plage est bordée par des promenades, faites de planches pour faciliter la déambulation, et ourlée d'une guirlande de cabines où les baigneurs se mettent en tenue. La grève elle-même est constellée de parasols aux toiles rayées et autres abris d'osier.

Des cabines de bain des Sables-d'Olonne (double page précédente)
au casino de la Baule : rien que du plaisir !

À l'ère balnéaire, la vie mondaine se fait autour d'une table...
de jeu ou à manger. Au restaurant de la Réserve à Nice, on pouvait dîner
dans une salle aménagée dans la cale d'un faux bateau, nommé *Inflexible* !

Le front de mer de La Baule.

Lieux de promenade, les jetées (*piers* en anglais) étaient surtout des débarcadères. Avant l'avènement des chemins de fer, la voie nautique était la plus rapide pour accéder aux stations balnéaires.

Jeux de plage à la Baule, en 1937.

La promenade des Anglais à Nice en 1848. Le Negresco, inauguré en 1912, dresse ses coupoles sur la baie des Anges.

Et un, et deux !

Les premiers à faire du sport sur les plages françaises ont été les Britanniques. Ils s'engagent dans des parties de criquet et installent leurs arceaux de croquet sur le sable ; ils exportent le golf et le tennis. Dans l'entre-deux-guerres, la pratique sportive s'étend à toutes les classes populaires. Le sport est une nouvelle hygiène de vie. Les enfants s'initient dès leur plus jeune âge à la gymnastique dans des clubs, dont les plus célèbres sont sponsorisés par le Journal de Mickey. D'extravagantes rencontres sportives se substituent en partie à la vie mondaine : il est de bon ton de participer au tournoi de volley-ball ou de badminton, et de se montrer au concours de figures sur trampoline. Le bord de mer est aussi le lieu privilégié du sport-spectacle. Les hippodromes y fleurissent, des courses motorisées s'y déroulent, dans les dunes, sur les routes ou sur les flots.

Double page précédente : gymnastique collective au bord de l'eau à Deauville.

Le très britannique jeu de croquet consiste à faire passer une boule en bois sous des arceaux à l'aide d'un maillet. Le cricket, lui, consiste à taper dans une balle à l'aide d'une batte... pas d'une pelle !

Double page précédente :
la gymnastique prend des airs
de cours de danse,
à la Baule, en 1938.

Pour devenir Monsieur Muscle,
il faut commencer la culture
physique au plus jeune âge !

Jeux de grèves

Symbole de la plage, le château de sable est sans conteste le premier jeu de grève auquel se sont adonnés les enfants depuis l'invention des bains de mer. Dans l'après-guerre, des concours officiels sont organisés par des journaux nationaux, qui éditent les résultats avec photos des jeunes vainqueurs. Difficile de leur faire quitter la grève. Leurs mères et autres nourrices, à l'abri dans leur tente ou protégées dans les coques d'osier, prennent leur mal en patience, tricotant ou lisant quelque ouvrage emprunté à la bibliothèque locale, un incontournable de la station balnéaire. Avec l'engouement pour le Tour de France, les petits estivants vont se lancer dans des reconstitutions de circuits cyclistes avec force figurines et billes. Quand enfin, épuisés par leur journée au grand air marin, les enfants sont couchés, le bord de mer regorge de distractions pour les adultes : restaurants, casino, promenades...

Double page précédente : à défaut d'embarquer
sur les beaux bateaux de plaisance, on peut toujours
rêver en participant à des régates de modèles réduits.

La promenade à dos d'âne au bord de l'eau
est un classique du bord de mer au début du XXe siècle.

Rêver de voir son château résister
à la marée montante...

Embouteillage au toboggan
de Deauville en 1936.

Creuser, construire, imaginer...le sable est le terrain de jeu des rêves d'enfants.

Les petits à la garderie, les grands au bar de la Plage.

BIBLIOTHÈQUE DES BAIGNEURS

Pour passer le temps, rien ne vaut un bon roman.

Vers la thalassothérapie

Si les médecins britanniques et français, Russell, Bagot, Quinton et quelques autres, ont posé les fondements de la cure marine dès le XVIIIe siècle, si les établissements de bains du XIXe siècle en furent les incontestables précurseurs, la thalassothérapie moderne doit surtout à Louison Bobet. Ce coureur cycliste breton raccrocha ses crampons en 1961 à la suite d'un accident, et découvrit les bienfaits de la mer à l'occasion de sa cure de rééducation, à Roscoff. Il inaugura son premier institut à Quiberon en 1964. L'ère de la thalassothérapie était ouverte. Qui n'a pas profité des bienfaits délassants d'un bain bouillonnant, qui ne connaît pas la douceur d'un enveloppement d'algues ou le coup de fouet procuré par une douche à jet se prive de grands moments de bien-être...

La mer a tant à nous donner. En toute saison...

Pour aller plus loin...

Balnéaire, une histoire des bains de mer, Rafaël Pic, éditions LMB, 2004. *Un siècle de bords de mer,* Albéric de Pamaert, coll. Mémoires, Éditions Ouest-France, 2005. *Souvenirs des bords de mer,* Bernard Rubinstein, Patrick Léger, Gallimard, 1999.

Crédits des photographies

Les photographies de cet ouvrage proviennent des archives Keystone à l'exception des suivantes :

Mary Evans Picture Library / Keystone, pour les pages 8, 11, 14, 16, 20, 26, 43, 52, 59, 63, 86, 92, 100 et 103

Coll. Chasse-Marée, pour les pages 12, 17, 21, 36, 44, 50, 51, 56, 61, 69, 71, 75, 76, 77, 80, 88, 90 et 94

Coll. Bernard Rubinstein, pour les pages 21 et 62

Giletta / Keystone, pour les pages 27 et 81

Coll. Cointet / Chasse-Marée, pour la page 28

Jean-Philippe Charbonnier / Rapho-Top, pour la page 38

Œuvre des Abris du Marin / Musée départemental breton, pour les pages 70 et 78

DR., pour la page 110

Ergy Landau/Rapho, pour la page 113

AD 22, pour la page 120

ISBN 978.2.35357.011.9
Dépôt légal : février 2007
Cet ouvrage, gravé par Glénat Production,
a été achevé d'imprimer en Slovénie en février 2007
par l'imprimerie MKT PRINT